가랑비 동동

90년대 5인 시조집

가랑비 동동

5

작가

넓고 깊은 물굽이를 따라 유장한 강이 흐른다. 길이 막히면
길을 만들며 흐른다. 시조는 백두대간을 쓸어내린 전통과 맥을
생명처럼 이어온 겨레시다. 3장 6구 12음보, 그 정형률 안에 형
식을 넘어서는 우주가 살고 있으며, 말 밖의 말이 깃들어 있다.
말로서는 더 이상 어찌할 수 없을 때의 노래와 춤사위도, 내 속
을 짚어 남의 마음을 여는 경지도 무한히 깃들어 있다.

현대시조는 산 좋고 물 좋은 곳에 정자를 짓지 않는다. 대체
재나 파생상품이 아닌 진정한 단독자로서 완성재의 현재적 지
평을 반추하고 확대해나가는 뜨거운 고민이 없다면, 한낱 관념
이며 허상의 나락으로 떨어지고 말 것이다.

천년 강이 흐른다. 하늘을 닮은 강물이 하늘보다 더 푸르게
흐른다. 앞강물이 뒷강물을 끌고 뒷강물이 앞강물을 밀며 창창
히 흐른다.
그 곁에 작은 포말로 이는 마음들을 보탠다.

2018년 1월
문순자 박명숙 서숙희 염창권 최영효

차례

머리말

문순자

감귤꽃, 따다　17
박달나무 꽃피다　18
지구를 찾다　19
갯무꽃　20
금강경　21
돌염전　22
꽃과 바다　23
여자　24
4 · 3 그 다음날　25
왼손도 손이다　26
개밥바라기　27
사초에 단풍 들다　28

시인의 노트 박달나무 꽃 피듯　29

박명숙

초저녁 33

서천 34

오래된 시장 골목 35

깜부기불 36

어머니와 어머니가 37

오후 네 시 38

지심 동백 39

묘猫한 그녀 40

킬힐 41

해수관음 42

그해 입동 43

찔레꽃 수제비 44

시인의 노트 울음 45

서숙희

처서 무렵 49

금환일식 50

빙폭 51

칼과 사과 52

일몰, 그리고 53

칸나, 그 붉은 54

아파트 야화夜話 55

물의 이빨 56

원룸시대 57

물외라는 이름 58

꼴 59

손이 작은 그 여자 60

시인의 노트 쓸쓸에게 61

염창권

주름 65

저, 두메 66

풋살구 67

영안반점 68

11월 69

석이石耳 70

감잎 71

호두껍질 속의 별 72

구전口傳 73

겨울 적벽 74

화순 75

젖 76

시인의 노트 어둑한 길, 그 끝에 모여 있는 것들 77

최영효

쑥 81

가랑비동동 82

삽 하나 83

한라산 84

야생일지 85

바둑論 86

봄편지 87

노다지라예 88

낮달 89

지리산 수묵상생화법樹墨相生畵法 90

18 91

웃음에 관한 고찰 92

시인의 노트 실패한 시를 위한 변명 93

문순자

감귤꽃, 따다
박달나무 꽃피다
지구를 찾다
갯무꽃
금강경
돋음전
꽃과 바다
여자
4·3 그 다음날
왼손도 손이다
개밥바라기
사초에 단풍 들다
시인의 노트 박달나무 꽃 피듯

제주 애월읍 구엄 출생, 1998년 《세기문학》 신인상, 1999년 《농민신문》 신춘문예 당선. 시조시학 젊은시인상, 한국시조작품상 수상. 한국문화예술위원회 아르코창작기금 받음. 시집 『파랑주의보』(고요아침, 2007, 문화관광부 우수문학도서), 『아슬아슬』(동학사, 2014), 시선집 『왼손도 손이다』(고요아침, 2016)

감귤꽃, 따다

결국 도루묵이다
이 밭에 또 꽃이 왔다
서너 번 태풍도 치른 2년생 감귤나무
'족아도 아지망' *이라고
다닥다닥 내민 꽃들

차마 저들에게 어찌 열매를 바라랴
우연이듯 필연이듯 하필이면 내 생일날
생애 첫 꽃봉오릴 딴다
환향녀 같은 것들

폐원할 땐 언제고 이제 와 꽃타령이냐
찌직찌직 레코드판처럼 빈정대는 직박구리
농심은 천심이란 말
낯 뜨거워 못 하겠다

* '작아도 당찬 아주머니' 라는 제주 속담.

박달나무 꽃피다

박달나무 박달나무 긴 주걱 따라가면
밥 달라 밥 달라는 예닐곱 살 구엄바다
무쇠솥 처얼썩 철썩
휘젓는 어머니의 노

제천장 좌판에서 그 주걱 또 만났네
한세월 거슬러온 박달재 고갯마루
아버지 낮술에 묻어 '희망가'도 따라왔네

오늘은 김장하는 날, 친정집은 잔치마당
젓갈이며 고춧가루 세상사 휘젓고 나면
한겨울 긴 주걱 끝에
덕지덕지 피는 꽃

지구를 찾다

한라산도 수평선도 한눈에 와 쏙 박히는
제주시 외도동은 그야말로 별천지다
아파트 옥상에 서면
대낮에도 별이 뜬다

수성빌라 금성빌라 화성빌라 목성빌라
그것도 모자라서 1차, 2차 토성빌라
퇴출된 명왕성만은
여기서도 안 보인다

스스로 빛을 내야 별이라고 하느니
얼결에 궤도를 놓친 막막한 행성처럼
내 안에 실직의 사내
그 이름을 찾는다

갯무꽃

구엄리 갯무꽃은 혼자 피고 혼자 진다
툇마루 걸터앉은 구순의 내 어머니
한 생애 끌고 온 바다
처얼~썩 철썩 처~얼썩

대물릴 게 없어서 바다를 대물렸나
비닐하우스 오이 따듯 덥석 따낸 해녀증
큰올케 노란 오리발
허공을 차올린다

삼월보름 물때는 썰물 중의 썰물이라
톳이며 보말 소라 덤으로 듣는 숨비소리
한 구덕 어머니 바다
욕심치레 하고 있다

금강경

사월 초파일이 코앞이라 그런가

시루 속 콩나물이

까까머리 동자승 같다

톡 치면

금강경 한 구절

묻어나는

물방울

돌염전
— 친정바다 1

결은 끝나지 않는 항거의 몸짓이다
주일날 교회 대신 문득 찾은 친정바다
여태껏 갈매기 몇 마리 저 이랑을 겨누고 있다

내 고향은 큰딸에게 돌염전 대물린다
밭 대신 20여 평 유산으로 받아든
어머니 구릿빛 내력, 자리젓보다 더 짜다

돌소금 한 됫박이면 겉보리도 자리돔도 한 되
소금구덕 하나로 산간 마을 돌아오면
등짝에 서늘히 젖은 술주정도 묻어난다

엄쟁이에선 더 이상 천일염 못 만든다
4·3으로 6·25로 다 떠나보낸 구엄마을
무얼 더 고백하라고 싸락눈 또 오시는가

꽃과 바다

내 아버지 기일은 꽃샘추위 끝물이다
넘실넘실 구엄바다 목련꽃 피워대는
그 바다 저어온 달을
매어놓은 친정집

40년쯤 지나면 제삿날도 잔칫날 같다
핑계 김에 4대가 왁자지껄 모여들면
세상사 '똥복헌 일' *에도
웃음꽃 울음바다

이승을 떴다 해도 아니면 또 왔다 해도
메밥 갱 돗궤기적갈 빙떡 다 필요 없다
또 한 잔 음복주 생각
간절하실 사람아!

* '방귀 뀌듯 아주 사소한 일' 이라는 제주 속어

여자

지구에 오래 살면 저렇듯 둥글어질까
온종일 해바라기 23.5도 그만큼
어머니,
이끈 유모차
그도 슬몃 기운다

첫 남잔 징용으로 일본 간 지 칠십년
두 번쨴 4·3 횟술로 세상 뜬 지 사십년
체념도 용서도 아닌
하늘이라 또 섬긴다

당신은 엄쟁이다
소금밭 일구던 여자
절에 가지 않아도 온몸으로 절을 한다
서너 평 돌염전에도
눈부시다 천일염

4·3 그 다음날

밤새
난바다가
지켜낸 외등 하나

왕벚나무 그늘 아래 비린내로 나앉아

낱낱이
옥돔 비늘을
훑어내고 있었다

왼손도 손이다

의사는 다짜고짜 내 구력을 물어온다
운동?
운동이라면 노동이 고작인데
병명도 분수가 있지
'테니스 앤 골프 앨보' 라니

그렇다면 도대체 내가 뭘 쳤다는 걸까
오른손잡이,
이 손으로 네 등 떠민 적 없었다
무심결 왼쪽 손으로 찻잔을 든 이 아침

세상에, 세상에나
업은 애기 삼년 찾듯
여태껏 안 떠나고 여기 남아 있었구나
반세기 흘리고 나서
심봤다!
너 왼손아

개밥바라기

저녁이면 습관처럼 오름에 돋는 별이 있다
허술한 내 출근길 오름에 돋는 별이 있다
세끼 밥 건너 뛴 적막,
하늘 본다, 개밥바라기

한라산 구백고지, 명치쯤의 이 자리
산은 왜 이 곳에다 청동어 달았을까
물장올水長兀 산정호수에 내 그리움을 방생한다

저 오름도 세상에서 탁발하고 오는 걸까
청보라 섬잔대로 빈자일등 피워놓고
때맞춰 개밥그릇에 공양하듯 별이 뜬다

독경소리 듣는 것도 사치스런 그런 날
이제 내 외로움에 선고를 하고 싶다
한세상 작별을 하듯
그린마일 가고 있다

사초에 단풍 들다

왕릉은 시월에도 예초기 돌리나 보다
제주 알오름 같은 헌릉 인릉 돌아들면
대모산 풀비린내가
왕조실록 사초史草 같다

그 실록 어느 행간,
먹물 번진 조선의 하늘
'원통하고 억울하면 이 북으로 고하라'
그때 그 서러운 가슴들
단풍들고 있었다

한 잎 한 잎 사연이야 하늘이 다 들을 일
나는 왜 돌고 돌아 여기까지 왔는지
궐문 밖 둥그런 세월
북채나 잡고 싶다

박달나무 꽃 피듯

김장날 친정집은 그야말로 잔칫날이다. 택일하듯, 구순 어머니를 필두로 오남매가 한 달 전부터 날을 잡는다. 부부동반은 필수고, 아르바이트란 핑계로 조카들까지 불러들인다.

예나 지금이나 김장은 이틀잔치다. 첫날은 토박이농사꾼인 동생네 밭에서 배추를 직접 캐서 소금에 절인다. 그런 다음 무며 갓, 대파, 실파를 씻고, 채 썰고 야단법석을 떤다. 다음날은 새벽부터 절인 배추를 건져 씻고 물이 빠지는 동안, 어제 채 썰어놓은 무와 고춧가루, 젓갈이며 세상 돌아가는 이야기까지 커다란 고무다라이에 넣고 기다란 박달나무주걱으로 노 젓듯 휘젓는다. 그럴 때면 40여 년 전에 돌아가신 아버지 얘기도 자연스레 도마 위에 오른다.

배추 150~160포기에 고춧가루 40근쯤. 거기다 갖은 양념 다 버무리면 여자들 힘으로는 감당이 안 된다. 아니 그런 핑계로나 처남 매부가 번갈아가며 노를 젓는 것이다. 이제 마을회관에서 빌려온 탁자 몇 개를 마당에 펼치고 그 위에 비닐을 깔면 만반의 준비가 끝난다.

"자기가 버무린 김치 자기가 가져가는 거다."

"준비 땅!"

마치 달리기 출발 총을 쏘듯, 형부가 김장 시작을 알리면 누가 먼저랄 것도 없이 몸은 자동인형처럼 손놀림이 빨라진다.

조카들도 부지런히 절인 배추를 나르랴, 각자 가져온 김치통에 버무린 김치 담으랴, 그 와중에 인증샷하랴, 서울에 사는 딸이며 조카들과 릴레이 영상통화하랴, 손이 몇 개라도 모자랄 판이다.

이렇게 부산을 떨다 보면 그 많던 배추도 동이 나고 양념 다라이엔 덩그러니 주걱만 남는다.

어디로 갈까.

어디로 노 저어 갈까.

고춧가루양념 덕지덕지 달라붙은 박달나무 노.

내게 있어 시조란 이런 것이다

생명이 없는 박달나무에 고춧가루만 슬쩍 묻어도 꽃 피우는 그런 거.

1 더하기 1은 수학적으론 2가 정답이지만 하나에 하나를 더하면 열이 되기도 하고, 하나에 열을 더해도 하나가 되는……

이때쯤 부엌에선 삶은 돼지고기 냄새가 새어나오고, 갓 버무린 김치에 고기 한 점, 식구들 웃음 한 점 얹어 입이 찢어져라 한 쌈 싸먹는 맛!

이게 바로 시조의 종장이 아닐까

이처럼 내 시는 일상에서 건져 올린 것이 대부분이다. 지금까지 내 시는 그늘진 것이 많았다. 이제는 내 시에도 햇살이 좀 들었으면 좋겠다.

박명숙

초저녁

서천

오래된 시장 골목

갭부기불

어머니와 어머니가

오후 네 시

지심 동백

묘猫한 그녀

킬힐

해수관음

그해 입동

찔레꽃 수제비

시인의 노트 울음

1993년 《중앙일보》 신춘문예 시조 당선. 1999년 《문화일보》 신춘문예 시 당선. 열린시학상, 중앙시조대상, 이호우·이영도시조문학상 수상. 서울문화재단 창작지원금 수혜. 시집 『은빛 소나기』 『어머니와 어머니가』, 시선집 『찔레꽃 수제비』.

초저녁

풋잠과 풋잠 사이 핀을 뽑듯, 달이 졌다

치마꼬리 펄럭, 엄마도 지워졌다

지워져, 아무 일 없는 천치 같은 초저녁

서천

누군가 냇가에서 빨래를 하나 보다

주저앉아 몸 깊은 곳 소식을 씻나 보다

콸콸콸, 노을 쪽으로 여름날이 넘어가는데

그 여름날 살 속 깊이 칼집이 들어선 듯

쓰라린 소식들을 저물도록 치대나 보다

적막한 서천 물소리 대숲을 구르나 보다

오래된 시장 골목

누구는 호객하고 누구는 돈을 세는

양미간이 팽팽한 노점 앞을 지나는데

꽃집의 늦은 철쭉이 여벌옷처럼 펄럭인다

가끔씩 여벌처럼 세상에 내걸려서

붐비는 풍문에나 펄럭대는 내 삶도

마음이 지는 쪽으로 해가 지듯, 저물 것인가

퍼붓는 햇살까지 덤으로 얹어놓아도

재고로만 남아도는 오래된 간판들을

쓸쓸히 곁눈 거두며 지나는 정오 무렵

깜부기불

어둠이 한 밑천이다, 깜부기불은 여전히
잿더미 속 제 몸을 밑불로 삼는다
지금은 현무의 시간, 어둠을 더 벌어야 한다

거북이 등짝 같은 오랜 밤을 다독이고
실배암 눈빛 같은 불씨를 파묻으며
아직은 천길 아궁이, 어둠을 더 일궈야 한다

깜부기불 일렁인다, 어둠을 한 밑천으로
꺼져가는 제 몸을 마중불로 삼는다
그믐에 불을 댕겨서 초승을 일으킨다

어머니와 어머니가

도랑치마 걷어 올리고
도랑물 건너가네

마른 땅 끌던 꿈
허리에다 동여매고

물살에 정강이 찢으며
고픈 봄날 건너가네

어머니와 어머니가
나를 끌고 건너가네

뻐꾸기도 울지 않는
징검돌 없는 봄날

도랑물 밀어 올리며
도랑치마로 건너가네

오후 네 시

은행나무
외그림자

군더더기 없이
간결하다

한 줄의
문장처럼

호젓한
오후 네 시

창문 밖
마른 키의 남자가

하나뿐인
이웃 같다

지심 동백

혈서 쓰듯,
날마다
그립다고만 못하겠네

목을 놓듯,
사랑한다고
나뒹굴지도 못하겠네

마음뿐
겨울과 봄 사이
애오라지 마음뿐

다만, 두고 온
아침 햇살 탱탱하여

키 작은 섬, 먹먹하던
꽃 비린내를 못 잊겠네

건너온
밤과 낮 사이
마음만 탱탱하여

묘猫한 그녀

1.
그 여자, 긴 꼬리로 모가지를 감고서 스텝을 밟고 온다,
반나절쯤의 그 여자
나른한 봄날 오후를 나붓나붓 돌아온다

2.
반쯤 감긴 실눈으로 한물간 눈빛으로, 세상엔 듯 허공엔
듯 삶의 스텝 느려지면
골목길 허술한 밤이 함부로 저물어간다

킬힐

빗방울을 찍으며
우기를 빠져나가는

킬힐은 아찔하다
풍진세상 닿지 않는다

천지에
오금을 박듯

굽 높은 외출 한때

해수관음

헌 옷처럼
늙어버린 평생의 당신 기도

한세월 올이 풀려 낮달처럼 삭은 기도
고무신 닳고 닳은 채 벼랑에 선 당신 기도

어머니
연꽃을 내려놓으세요, 제발

무엇도 덧댈 수 없는 자투리만 남은 기도
자꾸만 해 짧은 세상으로 미끄러지는 당신 기도

그해 입동

수인선 협궤열차 열세 시 반 차표 한 장
대합실 휑한 속을 갈바람만 뒹굴었던가
개찰구 문이 열리자 내 오후도 개찰되었다

옹색한 그 외길을 어떤 힘이 끌었는지
욕망이나 절망이나 가난 같은 바퀴들이
들바람 맞서 껴안고 얼마나 달렸는지

서해안 노을 앓으며 변두리를 돌던 일상
간밤 꿈은 굴러나가 통로 사이 걸리고
경적은 갯벌에 빠져 허리를 끊어냈다

끝물로 터지는 숨결 코끝이 달아올라
빗장 건 염전 몇 채 갈밭머리 내려앉으면
시간도 굼뜬 몸 일으켜 들불을 놓아가고

무거운 삶 매달고 건너가는 군자 달월 소래
첫눈이 곧 내릴까 여위는 걸음 잴 수 없는데
폐역엔 쿨룩이는 풀꽃만 입동을 떨고 있었다

찔레꽃 수제비

1.
수제비를 먹을거나 찔레꽃을 따다가
갓맑은 멸치 국물에 꽃잎을 띄울거나

수제비, 각시가 있어 꽃 같은 각시 있어

2.
거먹구름 아래서 밀반죽을 할거나
장대비 맞으면서 솥물을 잡을거나

수제비, 각시가 있어 누이 같은 각시 있어

한소끔 끓어오르면 당신을 부를거나
쥐도 새도 눈 감기고 당신을 먹일거나

수제비, 각시가 있어 엄마 같은 각시 있어

울음

끝없는 매로 징은 제 울음을 잡아나간다. 맷집이 좋을수록 울음도 명품이 된다. 공명, 얼마나 잘 울어야 울음 값을 제대로 치르는 걸까. 시의 풋울음도 잡아보지 못한 주제에 마지막 소울음을 함부로 꿈꿀 것인가. 혼의 나이테를 피눈물로 감아올리며 마침내 새벽의 정수리를 치는 징소리 같은 시는 어디서 오는 걸까. 울지 못하는 시 한 편의 목마름은 끝이 없다. 징채를 쥘 수 없는 날들이다.

서숙희

처서 무렵

금환일식

빙폭

칼과 사과

알몸, 그리고

칸나, 그 붉은

아파트 야화夜話

물의 이빨

원룸시대

불외라는 이름

꼴

손이 작은 그 여자

시인의 노트 쓸쓸에게

경북 포항 기계면 출생. 1992년 〈매일신문〉, 〈부산일보〉 신춘문예 시조 당선. 1996년 《월간문학》 소설 신인상 당선. 백수문학상, 김상옥시조문학상, 이영도시조문학상, 한국시조작품상 수상. 한국문화예술위원회 창작지원금 받음. 시선집 『물의 이빨』(고요아침, 2016), 시집 『아득한 중심』(동학사, 2015), 『손이 작은 그 여자』(동학사, 2010), 『그대 아니라도 꽃은 피어』(혜화당, 2000)

처서 무렵

풀벌레 울음소리 옥양목의 가위질 같다

차가운 별빛은 물에 씻어 박은 듯

잊고 산 세상일들이 오린 듯이 또렷하다

금환일식

태양은 순순히 오랏줄을 받았다
팽팽하게 차오르는 소멸을 끌어안아

일순간
대명천지는
고요한 무덤이다

입구와 출구는 아주 없으면 좋겠다
시작과 끝 또한 없으면 더 좋겠다
캄캄한 절벽이라면 아, 그래도 좋겠다

빛을 다 파먹고 스스로 갇힌 어둠둘레
오린 듯이 또렷한 금빛 맹세로 남아

한목숨,
네 흰 손가락에
반지가 되고 싶다

빙폭

살은 다 버리고 뼈로 우는 사내가 있다

욕된 울음 덩어리 제 안에 다 가뒀으니

스스로 채운 저 결박, 아무도 풀지 말라

산 같은 함묵을 맨살에 갈고 갈아

선채로 껴안은 얼음기둥 속살 깊이

기어이 텅 빈 이름 하나, 환하게 새길 때까지

칼과 사과

1
둥근 유혹으로 부푼 이브의 몸에 차갑게 세운 내 금속성
의 본성이

최대한 객관적으로 개입하는 그 순간,

2
너와 나의 관계항은 단순 명쾌하다
꽉 물고 있던 긴장이 쩌억 갈라진다
오, 나의 불가항력은 깨끗하고 적나라하다

일몰, 그리고

검고도 깊은 그곳
움푹 팬 가랑이로
뜨겁고 붉은 것이
쑤욱 들어갔다

통째로 햇덩이를 삼킨
산의 몸, 훅 부풀었다

가슴 푼 귀소본능
저릿하게 젖이 돌아
피붙이 살붙이들
비린 냄새 자욱하다

만물들 속살이 젖는
내밀한 그 한 때의,

칸나, 그 붉은

생피 뚝뚝 듣는, 누구의 심장인가
펄펄 끓는 염천을 찢을 듯 솟은 반역
아직도 살아 꿈틀대는
뜨거운 죄 하나여

시퍼런 녹음도끼로 무릎을 찍어내어
사랑의 몰락에 대해 증언케 하라
끝끝내 삼켜 문 그 말
울컥 토하게 하라

파괴의 아름다움은 차라리 고요하여
한낮도 그 아래서 숨죽여 엎드렸다

타올라 마침내 닿을,
닿아서 끝내 죽을

아파트 야화夜話

저 사내들의 태생은 철근과 콘크리트
깍두기 머리에다 딱 벌어진 어깨들이
단단히 스크럼을 짜고 칼같이 도열했지

하나같이 똑 같은 모양을 하고 있는 건
가장 외로운 심장을 파먹으러 찾아드는
잔혹한 슬픔의 순례를 교란하기 위해서지

밤이 되면 창마다 커튼을 드리우고
수척해진 야성을 완강하게 가린 채
순장된 고독의 허리를 뜨겁게 껴안곤 하지

그믐달이 사내들의 쇄골에 걸린 밤엔
알리바바와 40인의 도적을 끌고 온
눈 깊은 세헤라자데에게 마른 등을 기대지

물의 이빨

양은냄비 속에서 물이 끓기 시작한다
가장자리가 조금씩 부풀던 입들이
이내 곧 허연 이빨을
날카롭게 드러낸다

비등점의 고삐를 한순간에 낚아채서
냄비를 뒤엎을 듯 들끓어대는 저것은
순한 몸 어디서 나온
맹렬한 포식성일까

꽉 엉긴 채로 굳은 라면 한 덩어리를
가차 없이 덥석 물고 마구 흔들어대니
단단한 독재의 자세가
순식간에 무너진다

잇자국 하나 없이 깨끗이 물어뜯는
투명하도록 치명적인 물의 이빨에
오늘은, 정국 한쪽이
깊숙하게 물렸다

원룸시대

네 발 박힌 주사위가
덩그러니 앉아있다

한 번 높이 던져볼 기회마저 빼앗긴 채
사각의 살찐 고립들이
방 하나에 갇혀있다

이력서 쓰기가 특기가 된 이력 위로
그나마의 스펙은 스팸으로 쌓이고
눈 붉은 불면의 밤은
무겁고도 더디다

밤새 다 식어버린 인스턴트 희망들을
비닐에 쑤셔 담아 불법으로 투기해도
누구도 추궁하지 않는,
무관심은 합법이다

물외라는 이름

1
내가 살던 촌에선 오이를 물외라 했다
그냥 외도 아니고 참외도 아닌 이름
어쩐지 맺힌 데 없어 나지막이 부르고픈

아닌 척 까칠한 척 초록 가시 세웠지만
순한 몸 뚝 자르면 가득 품은 물빛 향을
속없이 다 내주고서 푸르게 울먹이는

2
여름내 참았을까 외꽃 같은 울음 한 잎
그 울음 꼭꼭 접어 가만히 건네던 날
싸리울 성근 그늘이 저물도록 젖었지

잊어도 좋겠지만 간직해도 좋을 이름
참외처럼 샛노랗게 달지는 않지만
내 유년 먼 시오리길의 물외 같은 그 아이

꼴

– 궁서체

길이 자주 흔들려도 걸음은 늘 골랐지
바람이 불어도 치맛자락 늘 단정했지
한 자루 붓을 쥔 듯이 제 몸 고쳐 잡았지

– 굴림체

어깨며 두 무릎, 닳고 닳아 둥글어졌지
세상 모진 말들을 오래오래 굴렸지
남은 말 입에 문 채로 징검돌을 건넜지

– 고딕체

궁서체 굴림체, 그 독백 다 지워버리자
그래도 외로우면 고딕체로 시를 쓰자
아주 더 외로울 때면 견고딕체로 시를 쓰자

손이 작은 그 여자

조그만 쪽편지 오래오래 접은 손

그 편지 다 닳도록 차마 건네지 못한 손

가만히 호주머니 속에서 깃털처럼 파닥인 손

그 여자 손이 작아 그 사랑 잡지 못했네

그 여자 손이 작아 그 상처 다 못 가리네

그 여자 손이 너무 작아 그 눈물 다 못 닦네

쓸쓸에게

너는 왜 저물녘 빛바랜 치맛자락에 묻어오는 거니. 너는 왜 나보다 먼저 빈방에 들어 성근 어스름을 가만히 흔드는 거니. 사람들이 푸석한 하루의 머리칼을 쓸며 불 켜진 집으로 돌아올 때, 나의 하루도 어제 보다 조금 더 닳은 구두를 현관에 벗어두고 귀소의 아늑함을 꿈꾸지.

그런 한때를 너는 왜 거기 길들지 못하고 자꾸만 칭얼대며 보채는 거니. 가만히 너를 달래고 다독이는 밤 깊은 시간, 검은 창과 마주한 환한 불빛이 아리도록 투명하지. 바람이 푸른 손바닥으로 긴 밤의 창을 쓸 때면 너는 불면의 맨살 위를 자꾸만 미끄러지지.

맑은 봄날, 너는 또 왜 도랑물 아른대는 물무늬로 오는 거니. 그렇게 와서는 잊고 지냈던 젊은 날 몇 장의 회한을 왜 자꾸 비추는 거니. 물은 흘러서 가고나면 다시 돌아오지 않는데, 아득히 다 흘러간 줄 알았던 지난날이 가시 같은 아픔으로 되돌아올 때가 있지. 그게 사람의 일이라고 너는 내게 가만히 속살대지.

내 오랜 친구야. 잡힐 듯 아니 잡히는, 내 편인 듯 아닌 듯한 네 존재가 사실은 좋단다. 오늘 밤엔 깃털처럼 가벼운 적막을 건네주렴. 그 포근한 적막으로 향기로운 내 상처를 덮고 너에게 건넬 한 줄 시를 오래 매만지게 해주렴.

염창권

뿌름

저, 두메

풋살구

영안반점

11월

석이石耳

감잎

호두껍질 속의 별

구전口傳

겨울 적벽

화순

젖

시인의 노트 어둑한 길, 그 끝에 모여 있는 것들

1990년 《동아일보》 신춘문예에 시조 당선. 1996년 《서울신문》 시 당선.
시조집 『햇살의 길』, 『숨』, 『호두껍질 속의 별』
무등시조문학상, 한국시조시인협회상, 중앙시조대상 등 수상

주름

사거리에 흩어진 골판지 상자들
손수레도 주인도 보이지 않는다
드링크 상자를 펼치던
그 손을 기억한다.

골판지는 펼쳐지면서 빗물에 젖어든다
타이어 바퀴가 몇 번이고 지나갔다
골판지 안쪽 겹주름이
뭉개지며 찢긴다.

부풀어 오르는 것은 언제나 축축하다
조금씩 눅어가면서 주름은 위안이 된다
슬픔의 부름켜 사이에서
생은 주름을 키운다.

저, 두메
― 이산가족

그리움은 세월을 당겨놓은 주름이었다
그 마음에 기대면 두메처럼 그늘졌다
상봉의 탁자에 앉으니 몸에 뜨는 노을이다.

모두들 울음의 강 하나씩 끌고 와서 먼 기억의 손 붙들고
물살처럼 굽이친다,

마음의 평생을 쏟아낸 이박삼일,
꿈이었나.

상별의 손바닥이 유리창에 차게 닿자
그 사이로 실금 같은 선로가 끊어졌다
이랑진 손바닥의 길
또 건너지 못한다.

풋살구

입덧이 지나가듯 풋살구 하나 떨어진다
나무는 제 발등에서 깨지는 것을 본다
알지만, 알고 있지만
그걸 막을 수 없다

돌려막는 상처가 다 감춰지는 건 아니다
폭식을 하거나 아주 굶어 야위거나
제 몸을 학대하는 것엔 다 까닭이 있으니

전달되지 않는 말들이 허공에 흩어지면서
수화처럼 온몸으로 뱉어내는 무형의 것들,

입술을, 열어 놓아라

입맞춤해 줄 테니.

영안반점

비에 젖은 꽃잎들이 낙진처럼 흐려져서
입간판을 흔들며 계절풍에 쓸려갈 때
밀반죽 치대는 주방엔 기름 솥이 끓는다.

주린 창자 꾸불꾸불 채워가는 창 밖에는
꽃 진 허공 자리마다 손자국이 남아 있어
떠나간 널 기억하며 눈시울이 젖는다

널 향해 다가선 길 문득 끊겨 아득할 때
하룻밤씩 묵어가는 영화관 골목에 핀

영안의 깊은 허공 향한,

점멸點滅의
꽃잎들!

11월

그림자를 앞세우는 날들이 잦아졌다
캄캄한 지층으로 몰려가는 가랑잎들
골목엔 눈자위 검은 등불 하나 켜진다

잎 다 지운 느티나무 그 밑둥에 기대면
쓸쓸히 저물어간 이번 생의 전언이듯
어둔 밤 몸 뒤척이는 강물소리 들린다

몸 아픈 것들이 짚더미에 불 지피며
뚜렷이 드러난 제 갈비뼈 만져볼 때
맨발로 걷는 하늘엔 그믐달이 돋는다

젖 물릴 듯 다가오는 이 무형의 느낌은
흰 손으로 덥석 안아 날 데려갈 그것은
아마도, 오기로 하면 이맘쯤일 것이다.

석이石耳

소문을 견디려고 한쪽 귀를 잘라냈다

달빛은 길을 핥으며
오랫동안 헛헛하였다
돌 속에 누운 여자가 몸을 앓고 있었다

달무리 서는 밤엔 핏줄 속에 바람 일고
숭숭한 골짝으로 여우가 출몰했다
차갑게 이운 가을 물에 숲은 다시 가물었다

달안개 속, 뚜벅뚜벅 발자국을 찍고 간 뒤
누워 있던 여자의 귀가 조금씩 자랐다

여우가 울고 간 밤엔 무서리가 내렸다.

감잎

하늘 접시에 담겨진 감잎이 불타고 있다
가을 들판 한 채가 조용히 기울고 있다
적막한 마음의 길들 슬픔을 견디고 있다.

이슥한 햇살 틈으로만 걸어오는 그대여
가을은 한 올 한 올 바람을 쓸어 넘기네
無明의 등불을 걸어 그대 발길 비추네.

감잎은 떨어져서 대지의 접시에 놓인다
나무들은 따뜻한 가로등을 매달고 있어
처음인 저 몸짓을 보고
말 건넨다,
고요한 빛….

호두껍질 속의 별

껍질 속은 굴곡이 많은 별빛으로 채워졌다
뇌수처럼 빡빡한 생은 좀체 휴식이 없다
별빛을 헤아려 본다
부유하는 먼지 같은…,

우주는 딱딱한 두개골처럼 소리가 난다
반짝이는 머리통 속 질량은 충분하다
욕정의 신호나 되듯
은밀한 느낌이다.

금기의 강이 있다, 건너지 못하는
미확인의 진실이지만
그들은 서로 잇닿아 있다
별들도 사랑을 나눈다
눈빛을 보면 안다.

호두껍질을 두드려서 잠든 별을 깨운다
기억의 숲 속으로 번개가 지나가듯
어둠이 파동 치며 긁힌다
이젠 추억의 힘이다.

구전口傳

신의 말이 기록된 시내산의 첫 석판은
선지자가 금송아지 내려친 뒤 흩어졌다
율법에 남겨진 기록은
위반에 대한 경고뿐,

감정의 등고선을 오르내린 필사자가
누덕누덕 기워진 공문을 불사른 후
길 밖에 감추어놓은 외경外經을 찾아갔다

진흙으로 구워낸 영혼 없는 골렘은
나그네의 거룩한 분노에 당황하여
부러진 그의 펜으로
붉은 혀를 그렸다.

겨울 적벽

칼 맞은
상처가 절벽에 낭자하다.

저 벼랑의 처참을 바로보지 못한다, 아래엔 물 메아리 감
감 돌아 꾸렸으니 누군들 마음을 꺼내 피륙을 짜나보다, 긴
불면의 내장을 도려 절벽 하나 마주칠 때 발바닥이 밀고 가
는 수평 밑은 칼날이다, 오래 널 기다렸다 한 곡조 우려내
니 얼음장 위 비상 같은 흰 눈발이 구른다.

한 소리, 강 건너고 있다

울울탕탕 허방이다.

화순

꽃 지던 날,
그 여자 고개를 넘어갔다

한두 줄금 햇살 비낀 산길이 희었다, 너릿재를 넘으면 마
주치는 이름 화순, 눈물방울 비꼈는지 뒷모습이 검었다,
5 · 18 때, 나는 그 길 걸어서 도망쳤다, 빛에 놀란 노루나
고라니 같이 숨어든 밤, 길 뜬 새댁 어깨 위로 까맣게 칠해
진 햇빛

지금도, 그리운 서촌역 지나갈 땐
여자 화순!

젖

    물 기운이 퍼지자 푸른 실핏줄 돋으면서 몸이 달은 두 꼭
지가 물 대려고 꼿꼿해졌다,

    살 틈에 물길 이어주는, 그게 사랑 아닐까.

어둑한 길, 그 끝에 모여 있는 것들

1.

어선들은 언제나 출항 준비로 바쁘다. 어부들은 하얀 거품의 물길을 만들며 바다의 중심을 향해 달려간다. 나는 햇살에 물든 얼굴을 하고 부둣가에 서 있다.

포구를 지나서 한참 걷다보면 갈대숲 둔덕으로 끌어올려진 몇 척의 목선을 보게 된다. 둔덕의 폐선처럼, 내 인생에서도 뒤로 물러나 세상을 더 넓고 그윽하게 바라볼 날이 다가올 것이다. 출렁이는 갈대밭 사이에 바람이 터놓은 길이 있다. 그 길이 샛바람에 뭉개지면서 뱃머리가 들리는가 싶더니 하늘로 날아갈 듯 움찔한다.

"오오, 날아가는 배여! 그대는 바다를 등지고 하늘로 날아가는구나!"

인생은 뱃길 위에 떠 있다. 돛폭을 부풀려 하늘을 날기도 하고, 돌풍을 만나 기슭에 처박히기도 한다. 그러나 남김없이 몸을 허물고 심해에 가 닿으리라.

2.

서구문학에 대한 대안으로 떠오른 트리컨티넨탈three-continental문학은 아시아, 아프리카, 라틴아메리카 등에서 생산된 3대륙의 문학적 특성을 강조하기 위한 용어이다. 미래학자

들은 제2 혹은 새로운 구술성口逃性의 문화가 도래할 것이며 이
미 도래하였다고 한다. 우리의 옛시조는 오랫동안 구술적 향유
를 기초로 하였다.

21세기, 헌실 공간의 기표들은 반쯤은 구술적이고 반쯤은
문자적이다. 현대시조는 문학의 역사에 어떤 영향을 끼치며 발
전해나갈 것인가? 많은 시조시인들께서 현명한 답을 찾아주시
리라 생각한다.

최영효

쑥

가랑비동동

삽 하나

한라산

야생일지

바둑論

봄편지

노다지라예

낮달

지리산 수묵상생화법水墨相生畵法

18

웃음에 관한 고찰

시인의 노트 실패한 시를 위한 변명

1999년 현대시조 〈파종기〉 등단. 2000년 경남신문 〈감자를 캐면서〉 당선. 김만중문학상, 천강문학상, 형평(지역)문학상, 중앙시조대상 수상. 시집 『무시로 저문 날에는 슬픔에도 기대어 서라』 『노다지라예』 『죽고못사는』, 시선집 『논객』

쑥

자갈밭 개똥밭에는 쑥이 참 잘도 크는데요
빈 손에 쑥대머리라고 핀잔만 받아도요
돌절구 쑥물 한 대접 오장이 다 편합니다요
내 새끼 쑥쑥 자라 돈 많이 벌면요
날마다 쑥설쑥설 쑥덕공론 천지라도요
쑥대가 왕대보담도 못할 게 뭐 있나요
저 양반 쑥스러워 내 눈을 외면해도요
왕년에 쑥버무리 안 먹고 큰 놈 없고요
자줏빛 쑥부쟁이꽃에 첫사랑도 숨겼다지요
부황 든 도시마다 쑥대밭이 됐지만요
팔 뻗고 허공으로 쑥떡 한 개 먹이고요
등창 난 세상 물어서 쑥뜸질을 놓습니다요

가랑비동동

경상도 갈강비는 시숙 속곳만 적시고요

전라도 싸락비는 각설이 품바 떨거지고요

강원도 가스랑비는 감자 불알만 키우네요

제주도 줌뱅이비는 닐모리동동 애긋고요

충청도 이시랭이는 무심천만 헛딛는데요

함경도 싸그랑비는 올동말동 못 오네요

삽 하나

삽 하나 깊게 꽂고 땅을 향해 기도를 한다
내 맘을 니는 알꺼여,
나도 니 순정을 알제
떠돌이 낮달 하나도 발걸음 멈추고 섰다

김 매고 골을 타서 씨 심어 기른 자식
일흔의 여울목에 선 핏줄이 불끈해도
니가 내 진짜 새끼여,
멀리는 떠나지 말어

다랭이 경전을 펼쳐 다 못 읽은 이 하루를
뼈마디 저미도록 지는 해에 또 절하며
흙 속에 깊게 꽂는다
그대의 몸종이 되려

한라산

어디서 눈을 들어도 구름 속 저기 서 있다

오름이 오름을 받쳐 하늘 하나 보듬고 산다

딱 한 번 말을 뱉고는 입을 다문 저 사나이

아버지 돌팔매 맞고 가신 지 하마 내 나이

휴화산 이름 하나로 참고 또 기다린다만

모슬포 돌개바람에 실눈 트는 수선화

구름의 높이에서 먼 북쪽 멧부리를 보라

살아 온 시간의 멍에 누군들 기적 아니랴

가슴 속 불을 내리면 아플 일 하나도 없다

야생일지

첫새벽 이슬을 샛별이 먹고 가면요
그 이슬 먹다 남은 건 아침 해가 먹고요
참새는 수숫대 끝에서 도리질만 먹지요
개는요 암탉 쫓다 헛발질만 먹어도요
쇠비름 콩이파리는 망아지가 먹고요
염소는 애미 없이도 슬픔까지 잘도 먹지요
매미는 씨롱씨롱 정치밥을 먹고요
들판에 허수아비는 씻나락만 까먹어도요
나는요 뜬구름 바라 외상술을 먹지요
달 보고 울던 아내 아들 편지만 먹고요
흙은요 뭘 먹나 하면 힘찬 내 오줌발 먹고요
오늘밤 허기가 지면 그 아내 내가 먹지요

바 둑 論

졸본성 해를 품은 주몽의 눈동자다

화점에 소 · 절 · 관 · 순 · 계* 천년 이룰 승부수로

마음의 칼 한 자루까지 내려놓은 저 손끝

진정한 고수는 남의 집을 셈하지 않고

뜨는 해의 명운을 일수불퇴 가슴에 품어

등 뒤에 비수를 꽂는 착점은 않으리라

청사엔 부활전 없는 만패불청 이 절벽

소서노 붉은 가슴 모란이듯 끓는 피로

요동성 부여성까지 주춧돌을 놓는다

---

* 소 · 절 · 관 · 순 · 계 : 고구려의 국가 형성 이전의 5부족을 뜻함, 소노 · 절
노 · 순노 · 관노 · 계루부의 5부족을 바둑의 5화점에 비유함

봄편지
― 5학년 2반 14번 조옥순 올림

여보 당신, 잘 계셨능교, 보고지꼬 또 보고시퍼쏘
당신이 심고 떠난 울타리 옆 개나리꽃
우째서 혼자 보나시퍼 서글프고 원망스럽소만
진작에 이 글 배워 한 배 가득 띠울라캐도
이제사 터질 듯 말 듯 옹알이를 시작했는데
이놈 글 돌부리처럼 여든 앞길에 채여쌓소
그래도 참깨 콩이 때약벼테 크듯이
낟글이 익어서 되글 대고 말글 댄다고
검지에 힘 꼭꼭 주어 이 편지 쓰느만요
배울 때는 맘속에 업는 말꺼정 할라캔는데
말 다르고 글 달라 뜻대로는 안 대서요
서산 해 산 넘어 가모 바늘 간 데 실 갈라요
당신께 배운 대로 소 한 마리 키우는데
눈빛이 마주칠 때는 꼭 당신 닮아써요
그렁께, 젊은 여자랑은 행여 곁눈질 마시라요

※ 조옥순 : 2013년 3월 28일 SBS 〈순간포착 세상에 이런 일이〉 프로그램 주
  인공. 80세에 한글을 배우기 위해 초등학교에 재학중이었음

노다지라예

지리산 아흔아홉 골 바람도 길 잃는 곳 싸리버섯 십리 향
에 목젖 닿는 뻐꾸기 소리 햇귀도 노다지라예 덤으로만 팔
지예

미리내 여울목엔 외로움도 덤이라며 잠 못 든 냇물 소
리 달빛 함께 줄 고르면 가슴 속 놓친 말들이 노다지 노다
지라예

가랑잎 누운 자리 그리움 덧쌓일 때 여닫이 창을 열고
미닫이 마음 열면 심심산 먹도라지 같은 우리 사랑 노다지
라예

낮달

우째 사노, 누이야
서다 걷다 그랬지예

누가 더 섧게 우는지
갈대와 키를 재며

누가 더
낮게 눕는지
질경이와 볼 부비며

지리산 수묵상생화법樹墨相生畫法

1.

볕살 환한 장터목에서 마음 속 운필을 들면 홑치마 구름
속에 눈물까지 얼비칠라

골골谷谷 정情 깊은 속살에 키대로 발돋움한 숲

진경산수 아니라서 소치小癡*가 흘려가도 직송만 솔이
냐며 높낮은 등고선 따라

좌우를 다 끌어 안고 희다 검다 말없던 화폭

2.

천왕봉 원근법은 먼 데 것을 먼저 보고 보이지 않는 것은
가슴에 기리어서

작은 손 꼭 잡아주는 오늘의 아버지시다

갈필법渴筆法 몰골법沒骨法에 목메인 눈빛으로 경계를 다
지우고 낙관없는 상생법 하나

첩첩 산 새울음까지 울울창창 키우리라

※ 소치(小癡) : 허유(許維 1809~1892)의 호 조선후기 남종화의 대가

18

뱉으면 인계철선
삼키면 빙점이 되는

혓바닥
그 안 깊숙이
비등점을 숨긴 사내

누군가 내일을 향해
당기는 방아쇠다

가슴에 구멍 하나
통한의 구멍 하나

캄캄한 막장 속에
길 찾는 마지막 병기

난세의
뜨거운 독침
이것 밖에, 18 참

웃음에 관한 고찰

1.

백무동 첫물이 물안개 뚫고 내리며 무연한 참꽃 마주쳐
곁눈으로 훔치다

헛디딘 발목을 끌고 바위에 미끄러지는 소리

2.

처마 낮은 지붕 아래 다저녁 내릴 무렵 시집 간 첫째 딸
이 손자 안고 들어설 때

앉혀 둔 찰옥수수가 솥뚜껑 여는 소리

3.

가을볕 목덜미에 잔광이 빌붙기 전 콩이야 팥이야 하늘
바라 말리는 시간

깻단이 성질 못 참고 제물에 터지는 소리

실패한 시를 위한 변명

내 시는 어느덧 나의 삶이다. 모르고 살았는데 쓰다 보니 그렇게 되어 있었다. 내가 쓴 문장들이 내가 걸어온 길이며 걸어갈 길이다. 원점으로 돌아오면 그것들은 곧 나의 모습이다. 그런데 내 시가 죽은 모습을 하고 있다. 독자들은 감동할 준비가 돼 있는데 문장이 살아 움직이지 못하니 그걸 누가 읽겠는가. 초월적 미학이나 유미주의에서 탈피하고 좀 더 인간적인 진솔함과 삶의 성찰에 다가서고 싶다. 또 하나 기대를 해도 된다면 옹색하지 않은 중후장대한 시를 쓰고 싶다. 요즘 시조단은 마치 블랙홀에 빨려들 듯이 단형시조에 매몰되어 있다. 나는 단시조의 미학을 절정의 경지라고 일컫는다. 짧게 다 말하고 그려낼 수 있다면 얼마나 경제적인 방법이 되겠는가. 가령 〈토지〉나 〈태백산맥〉을 단편이나 다이제스트로 줄여서 읽어도 문학이 되는 것일까. 단형시조가 정답이라는 논리는 아무래도 단견일 것이다. 물론 그것이 시조의 본령이라는 데에는 이의가 없다. 다만 많은 시인들의 작품에서 창작 과정을 되짚어 보게 한다. 압축을 통한 절정의 미학은 간 데 없고 단조로움만 남아 있다. 분재의 길은 소나무에서 시작해 소나무로 끝난다고 한다. 마지막 한 수를 어느 곳에 착점할 것인지는 깊은 호흡으로 단련된 내공에서 얻어진 소금꽃이 아닐까.

나는 시론이 없다. 라캉이나 데리다도 모른다. 알면서 없는 게 아니라 몰라서 아예 없다. 시론이 시를 쓰는 게 아니라 시가 시론을 만든다. 참, 그래놓고 보니 틀렸다. 시란 쓰는 게 아니라 잣는 것이다. 마중물로 물을 푸듯이 또는 그 옛날 여인들이 물레로 밤을 깃듯이. 내 시는 미문이 없다. 옳다구나. 무릎을 칠만큼 달고 맛있거나 꿀딱 넘어가는 문장이 없다. 그래서 시를 만들지 못하고 그래도 쓴다. 어떻게 쓰나. 망설이지 않고 쓴다. 본대로 쓰고 생각나는 대로 쓴다. 그러니 고민도 없고 고통도 없다. 그래도 재미있게 쓰고 싶다. 재미를 위해 쓰고 싶다. 그리고 많이 쓰고 싶다. 적어도 지금까지는 다산이다. 쓰지 않고 게으름을 피우면 왜 쓰지 않느냐고 시가 나에게 명한다. 나는 쫓기듯 쓰지만 결코 쓰기 위해서 쓰지 않는다. 간절한 듯 쓴다. 한 번도 가보지 않은 길로 가본 듯이, 아픈 듯이 죽어본 듯이 죽어 쓴다. 시란 아프지 않으면 싱겁고 맛이 없다. 어쨌거나 쪽팔리지 않으려고 콧대를 높이고 줏대를 세워 쓴다. 에즈라 파운드의 시론을 말하지 말자. 시조를 하이쿠나 칠언율시와 대비하지도 말자. 그것은 현문우답일 뿐이다. 내가 시조에서 발견한 가장 큰 매력은 가락이다. 시조는 가락이다. 짧은 문장 속에 숨어 있는 것은 외형률이나 내재율을 뛰어넘는 가락이 있다. 말이 끊어졌을 때 문득 느닷없이 가락이 다가와서 회한과 통증과 정한을 변주하는 것이 시조다. 이미 어쩔 수 없이 우리의 몸속에만 형성되어 있는 것이 시조의 DNA라고 말하고 싶다.

또 허공을 향해 헛소리를 내질렀다. 나를 그린다는 것이 남을 그리고 내가 없는 말만 풀어놓고 말았다. 그렇게도 자유를 갈망하는 사유의 세계를 나는 언제나 구속한다. 내 언어 내 문장의 한계.

이 도서의 국립중앙도서관 출판시도서목록(CIP)은 e-CIP 홈페이지
(http://www.nl.go.kr/ecip)에서 이용하실 수 있습니다.
(CIP 제어번호 : CIP2017035686)

90년대 5인 시조집
가랑비동동

2018년 1월 12일 초판 1쇄 발행

지은이 | 문순자 외
펴낸이 | 손정순
펴낸곳 | 도서출판 작가
　　　　서울 서대문구 북아현로 89 버금랑빌딩 2층
　　　　전화 | 365-8111~2　팩스 | 365-8110
　　　　이메일 | morebook@morebook.co.kr
　　　　홈페이지 | www.morebook.co.kr
　　　　등록번호 | 제13-630호(2000. 2. 9.)

편집 | 손희 최서영
디자인 | 오경은
영업 | 손원대
관리 | 이용승

ISBN 978-89-94815-73-2 03810

값 8,000원